Jean-Claude Grumberg

A mais Preciosa Mercadoria

Jean-Claude Grumberg

A mais Preciosa Mercadoria

Traduzido do francês por
Luísa Benvinda Álvares

D.QUIXOTE

Título original: *La plus précieuse des marchandises*
Título da edição portuguesa: *A mais Preciosa Mercadoria*
Autor: Jean-Claude Grumberg

Copyright original:
  © Editions du Seuil, 2019
  Collection *La Librairie du XXIe siècle*, sous la direction de Maurice Olender
Copyright da edição portuguesa:
  © Publicações Dom Quixote Unipessoal, L.^{da}, 2019

Edição: Maria do Rosário Pedreira
Tradução do francês: Luísa Benvinda Álvares
Revisão: Madalena Escourido
Capa: Maria Manuel Lacerda
Imagem da capa: © Shutterstock
Este livro foi composto em Rongel,
fonte tipográfica desenhada por Mário Feliciano
Paginação: Leya, S.A.
Impressão e acabamento: GUIDE – Artes Gráficas. L.^{da}

1.ª edição: fevereiro de 2020
Depósito legal n.º 465 385/19
ISBN: 978-972-20-6946-5

Publicações Dom Quixote
Uma editora do Grupo Leya
Rua Cidade de Córdova, n.º 2
2610-038 Alfragide · Portugal
www.leya.com

1

Era uma vez, numa grande floresta, uma pobre lenhadora e um pobre lenhador.

Não, não, não, não, tenham calma, isto não é *O Pequeno Polegar*! De modo nenhum. Tal como vocês, também detesto essa história ridícula. Onde e quando já se viu pais a abandonarem os filhos por não terem o que lhes dar de comer? Vá lá...

Recomeçando: nessa grande floresta reinavam a fome e o frio. Sobretudo no inverno. No verão, um calor sufocante abatia-se sobre o lugar e expulsava o frio. A fome, pelo contrário, era constante, sobretudo naqueles tempos em que grassava a guerra mundial.

A guerra mundial, sim, sim, sim, sim.

Como o pobre lenhador fora requisitado para serviços de interesse público – para benefício unicamente dos vencedores que ocupavam cidades, aldeias, campos e florestas –, era portanto a pobre lenhadora quem, da aurora ao crepúsculo, percorria a floresta, na esperança, frequentemente frustrada, de encontrar com que prover às necessidades do seu magro lar.

Por sorte – há males que vêm por bem –, o pobre lenhador e a pobre lenhadora não tinham filhos para alimentar.

O pobre lenhador agradecia todos os dias aos céus essa graça. A pobre lenhadora lamentava essa circunstância, mas fazia-o em segredo.

Ela não tinha filhos para alimentar, é certo, mas também não tinha filhos para amar.

Por isso, rezava aos céus, aos deuses, ao vento, à chuva, às árvores e até ao sol, quando os seus raios de uma transparência feérica perfuravam o arvoredo e iluminavam a vegetação rasteira. Implorava assim a todas as instâncias, do céu e da natureza, que lhe concedessem finalmente a graça da vinda de um filho.

Pouco a pouco, com o avançar da idade, percebeu por fim que todas as instâncias – celestes, terrenas e feéricas – se tinham aliado ao seu marido lenhador para a privarem de descendência.

Começou então a rezar pelo menos pelo fim do frio e da fome, de que sofria de manhã à noite, de noite e de dia.

O pobre lenhador levantava-se antes do nascer do Sol para dedicar todo o seu tempo e todas as suas forças à construção de edifícios militares de interesse geral, ou general, de um militar de patente inferior.

A pobre lenhadora, quer estivesse vento, quer chovesse, quer nevasse, quer reinasse aquele calor sufocante de que já vos falei, essa pobre lenhadora percorria o bosque em todas as direções, recolhendo cada graveto que encontrasse no seu caminho e todos os destroços de madeira seca, que apanhava e arrumava como se fossem um tesouro esquecido e então reencontrado. Também verificava as poucas armadilhas que o seu marido lenhador armava de manhã, ao ir para o trabalho.

A pobre lenhadora, como compreenderão, não tinha muitas distrações. Caminhava, com a fome na barriga, a agitar na cabeça os desejos que já nem sabia como expressar. Contentava-se com pedir aos céus que a deixassem, nem que fosse por um dia, comer até fartar.

Aquele bosque, o seu bosque, a sua floresta, estendia-se vasto, denso, indiferente ao frio e à fome; mas, no início daquela guerra mundial, tinham sido requisitados alguns homens para, com máquinas potentes, furarem o bosque a todo o comprimento e colocarem carris nesse percurso; e, desde há algum tempo, fosse inverno ou verão, um comboio, um único comboio, passava e voltava a passar por essa via única.

A pobre lenhadora gostava de ver passar o comboio, o seu comboio. Olhava-o febrilmente, imaginando-se a viajar nele, fugindo àquele frio, àquela fome, àquela solidão.

Pouco a pouco, a sua vida e a sua ocupação do tempo começaram a regular-se pelas passagens do comboio. Não era um comboio de aspeto sorridente. Meros vagões de madeira decorados com uma espécie de lucarna guarnecida de barras, nada mais. Mas, como a pobre lenhadora nunca tinha visto outros comboios, aquele servia-lhe perfeitamente, sobretudo desde que o marido, em resposta às perguntas que lhe fizera, declarara em tom perentório que se tratava de um comboio de mercadorias.

A palavra «mercadorias» acabou por conquistar o coração e inflamar a imaginação da pobre lenhadora.

«Mercadorias»! Um comboio de mercadorias... Agora já via aquele comboio a transbordar de vitualhas, de roupas, de objetos, via-se a percorrê-lo de uma ponta à outra, a servir-se e a saciar-se.

Pouco a pouco, a exaltação deu lugar a uma esperança. Um dia, talvez um dia, amanhã, ou no dia seguinte, ou fosse quando fosse, o comboio teria piedade da sua fome e, ao passar, dar-lhe-ia como esmola uma das suas preciosas mercadorias.

Começou a ser progressivamente mais arrojada, aproximando-se o mais possível do comboio, chamando-o, fazendo-lhe sinais, implorando-lhe com a voz ou simplesmente acenando-lhe quando estava demasiado longe para chegar a tempo.

E, às vezes, uma mão passava pela lucarna e respondia-lhe. E de outras vezes uma dessas mãos atirava na sua direção alguma coisa que ela corria a apanhar, agradecendo ao comboio e à mão.

Na maior parte das vezes, era só um pedaço de papel, que ela desenrugava com cuidado e um enorme respeito, antes de voltar a dobrá-lo e de o guardar junto do coração. Será que anunciava a chegada de um presente?

Muito tempo depois de o comboio passar, quando a noite caía, quando a fome se fazia sentir com maior intensidade, quando o frio a trespassava mais e para não ficar com o coração demasiado apertado, ela voltava a desdobrar o papel com um respeito quase religioso e contemplava os gatafunhos incompreensíveis, indecifráveis. Não sabia ler nem escrever, em nenhuma língua. O marido sabia um pouco, mas ela não queria partilhar com ele, nem com ninguém, o que o comboio lhe oferecia.

2

Assim que vira o vagão de mercadorias –
um vagão de transporte de gado, a julgar
pela palha no chão –, soubera que a sorte
deles tinha ficado para trás. Até aí, de Pithi-
viers a Drancy, tiveram pelo menos a sorte
de não terem sido separados. Tinham infelizmente visto tanta gente, os azarados,
partirem uns atrás dos outros, não se sabia
para onde, enquanto eles conseguiram ir
ficando juntos. Ele achava que essa graça se
devia à presença dos seus adorados gémeos,
Henri e Rose, Hershele e Rouhrele.

Na verdade, os gémeos tinham dado o
primeiro sinal de vida no pior momento, na
primavera de 1942. Seria altura de pôr no

mundo um bebé judeu? Pior, dois bebés judeus de uma só vez? Seria boa ideia deixá-los nascer assim, sob uma boa estrela amarela? Contudo, ele tinha a certeza de que fora graças a eles que passaram o Natal de 1942 no campo de Drancy, todos juntos.

A boa estrela e a administração judaica do campo até lhe tinham arranjado um emprego! Quase conseguira acabar o curso de Medicina – especialidade cirúrgica olhos nariz, garganta ouvidos –, contudo disseram-lhe que em Drancy havia muitos médicos, muitos doentes também, é certo – afinal, onde quer que haja judeus, há não só muitos médicos como ainda mais doentes –, mas como dois dos barbeiros tinham acabado de partir... Barbeiro? Vamos a isso.

Era inútil arrancar os cabelos a tentar compreender, já não havia nada para compreender.

Enquanto houve guardas franceses a vigiá-los, fora ele a cortar-lhes o cabelo. Tinha visto muitas vezes o pai a manusear a tesoura, a fazê-la tilintar no ar como que para avisar o cabelo do cliente de que dali a nada ia passar ao ataque, e depois, fixando a nuca, muito concentrado, atirar-se ao cabelo rebelde, ao tufo que tinha de ser cortado num gesto decidido. Até os barbeiros de profissão o tinham tomado por um deles.

Mas, quando os guardas nacionais foram substituídos pelos das fardas cor de verdete, só lhe restaram os membros da administração e alguns dos homens internados a solicitarem os seus serviços, uma clientela relativa e desesperada, à qual era preciso mentir e mentir. «Sim, sim, isto passa, tudo vai melhorar...»

Sim, era verdade que na primavera de 1942 quase os tinham deixado morrer, sem saberem, aliás, que eram dois. Mas a mulher, depois de refletir, quisera ficar com eles. Acabara por dar à luz dois pequenos seres, já judeus, já marcados, já classificados, já procurados, já perseguidos, uma menina e um rapaz, desde o primeiro instante a berrarem em coro, como se soubessem, como se percebessem. «Têm os olhos do vosso pai», decretou a mãe à nascença. Sim, os primeiros gritos foram terríveis. E só a mãe, transbordante de leite e de esperança, conseguiu acalmá-los. Pararam logo de chorar em coro e finalmente, confiantes, continuaram a mamar nos sonhos.

Naquela pequena e discreta clínica para partos da Rua de Chabrol, na zona de Hauteville, até lhes propuseram ficar com os bebés e entregá-los a uma família segura. Mas o que é uma família segura? «Que família é que pode ser mais segura para eles do que aquela composta pelo próprio pai e pela própria mãe?», exclamara Dinah, apertando os gémeos contra o peito, cheia de orgulho. Ela que, apesar das privações, apesar de Drancy, tinha, dizia-se, leite para quatro. Transbordava de leite, de amor e de confiança. Poderia Deus ter dado a vida àqueles dois querubins sem ter a intenção de os ajudar a crescer?

E agora, sacolejados naquele comboio, lá estava ela, na palha, apertando contra si os filhos, sem leite para os alimentar. Drancy acabara-lhe com o leite, com a confiança e com a fé. Ali, no meio daquela turba, daquele pânico, daqueles gritos, daquele choro, o pai, o marido, o falso barbeiro, o ainda não médico, mas já e sempre o verdadeiro judeu, procurava um lugar para abrigar a família. Ao observar os companheiros de viagem, encarando-os, teve um rasgo de lucidez. Não, não, não levavam aqueles velhos, aquele cego, aquelas crianças, os gémeos e as outras, não, não os levavam para trabalhar. Mandavam-nos para longe, já não os queriam ali, mesmo marcados, mesmo com a estrela, mesmo controlados, mesmo presos, mesmo privados de toda a liberdade, mesmo assim, já não os queriam por perto.

Por isso mandavam-nos para muito longe. Mas para onde? Em que sítio do mundo os quereriam? Que país estaria pronto para os acolher? Que país os receberia de bom grado, naquele mês de fevereiro de 1943?

O problema não era esse. Dinah já não tinha leite, ou já só tinha muito pouco. Drancy calara-lhe os seios. Os rumores, a partida dos pais dela, e depois a do pai dele. Tinham partido e nunca mais haviam dado sinal de vida. Ela estava deitada no chão, ali mesmo, onde pouco antes tinham estado vacas ou cavalos, certamente a caminho do matadouro. Desdobrara o xaile de lã dos Pirenéus, com que a tinham deixado ficar por favor, para envolver os gémeos. Reinavam o frio, a guerra, o medo. Ela embalava um, e o outro chorava. Embalava o outro, e o primeiro resmungava. Eram dois lindos bebés, um rapaz e uma rapariga. «A escolha do rei»[1], repetiam-lhes. «Os bebés mais bonitos do mundo. Com estes dois, já têm tudo na vida! Eu tive três raparigas antes de me nascer o rapaz, e vocês já têm os dois!»

[1] No original «Le choix du roi», expressão que provém da época medieval e que condensa o desejo do rei de França de ter um filho e uma filha. Essa seria a situação política ideal à época: um filho para herdar o trono e perpetuar o nome, e uma filha para fazer alianças através do casamento. [N. da R.]

E onde estão eles agora? Cada um começava então com as suas recordações, os seus gritos, a sua cólera. O abatimento, a exasperação. Uma mulher cantava uma canção de embalar em iídiche. Dinah percebia iídiche, mas fazia de conta que não.

Que fazer? Que fazer?, interrogava-se o falso barbeiro. Até aí, julgara cumprir o seu papel de pai na perfeição, apesar de todas as dificuldades. Apesar dos obstáculos, conseguira proteger sempre os gémeos. Tinha importunado a administração do campo. «Os seus gémeos! Os meus gémeos!» Tinham-se tornado os gémeos de toda a gente, que era preciso salvar, proteger, e afinal... afinal. Sentia-se desamparado, ultrapassado, sem saber o que fazer. Não podia ficar assim, era urgente que reassumisse o seu papel, precisava de encontrar uma solução. Dois dias de viagem, já. O cheiro, o nauseabundo e insuportável cheiro. O balde na palha, a um canto, e a vergonha, a vergonha partilhada, a vergonha intencionalmente pretendida, prevista por aqueles que os mandavam sabia-se lá para onde.

Reduzi-los primeiro a nada, depois a menos do que nada. Não deixar nada de humano neles, ainda vá. Mas ele tinha obrigações para com os filhos, que via a morderem os seios da mulher sem sair de lá nada, tinha a obrigação de encontrar uma solução.

Um dos seus companheiros de viagem perguntou-lhe se era romeno. Sim, era. Esse homem que o abordou disse-lhe que dantes também era romeno, mas agora era apátrida de origem romena. Percebeu que naquele vagão iam muitos apátridas com a mesma origem. Tinham-nos recolhido em Paris ou noutros lugares de França. E um deles falara-lhe de Iași.

– Conhece Iași?

– Claro que conheço. Houve lá um *pogrom*[2].

---

[2] Movimento popular violento organizado contra uma comunidade. Historicamente, o termo refere-se aos violentos massacres de judeus. [*N. da R.*]

– Um *pogrom*? Lá também há guerra, não precisam de nenhum *pogrom*.

– Não precisam, mas houve um *pogrom*. Meteram milhares de judeus num comboio em Iaşi e depois puseram o comboio a andar, andar, andar, até os judeus todos do comboio morrerem de calor, de sede, de fome. Em todas as estações onde o comboio parava, tiravam os mortos e a composição continuava o seu caminho com os sobreviventes. Às vezes voltava a partir em sentido contrário. O comboio não ia para lado nenhum, a única finalidade da viagem era esta: atirar alguém para o cais em todas as estações...

– Mas aqui, está a ver que andamos para diante, não paramos! E temos frio, não está calor nenhum.

– É como em Iaşi, já lhe disse! Como em Iaşi!

Desde aí, sempre que o comboio parava na via, ele tinha receio de que começasse a andar para trás. De que parasse numa estação e

então atirassem para fora do vagão os mori-
bundos, as crianças, os velhos. Mordia as
mãos. Que fazer? Que fazer? Furou até à
lucarna, pedindo desculpa, empurrando
uns, afastando os outros. Estava lá um velho
a tentar recuperar o fôlego. Arfava. Asma,
disse-lhe. Depois sorriu ao pai dos gémeos.
Acenou com a cabeça e fixou-o com olhos
que pareciam já ter compreendido tudo,
olhos que, desde que nascera, tinham pre-
visto tudo. Não tinha aquele ar de quem
está admirado, só precisava de um pouco
de ar.

A neve lá fora abrandava a velocidade do
comboio. Depois o comboio parou por um
instante, antes de voltar a partir, também
ele subitamente asmático. Foi então que
compreendeu.

Empurrou uns e outros. Chegou junto
do xaile de lã dos Pirenéus. Acima de tudo,
não escolher, acima de tudo, não pensar
mais, pegar num deles, não escolher entre
o rapaz e a rapariga. Pegou no primeiro em

que a sua mão tocou. Já tirara do bolso o xaile de oração. O bebé estava a dormitar. Dinah olhou-o por um momento e também ela fechou os olhos, apertando o outro gémeo contra si.

Quanto a ele, ao mesmo tempo que desdobrava o xaile, chegou à lucarna. As barras, entre elas havia espaço para deixar passar um braço. O comboio voltou a acelerar um pouco. Viu a floresta, as árvores a desabarem sob o peso da neve. Distinguiu uma silhueta que parecia correr atrás do comboio, levantando os pés acima da neve e gritando.

Ele apertou o bebé, embrulhou-o no xaile de oração. O asmático fitava-o e parecia dizer-lhe com os olhos: «Não faças isso! Não faças isso! Não faças o que queres fazer!» Mas ele estava decidido. Não havia leite para dois. Se calhar já nem para um.

Febril, ergueu o bebé envolto no xaile. A cabeça passaria? O asmático decidiu-se e disse-lhe então em iídiche: «Não faças isso!» Mas o pai dos gémeos olhou para ele e agiu como se ignorasse por completo o dialeto iídiche. Depois de passar a cabeça, passariam os ombros. Fez um gesto em direção à velha, que estava parada, ajoelhada na neve, como que a agradecer aos céus.

O comboio deixou o bosque.

3

Nessa manhã, como em todas as manhãs, cedo, muito cedo, a pobre lenhadora, naquele curto dia de inverno, corre ofegante pela neve, para não perder a passagem do comboio. Apressa-se e avança, apanhando aqui e ali alguns ramos que o peso da neve, de noite, quebrara e deitara ao chão. Corre, corre, levantando os pés calçados com peles de raposinho curtidas e modeladas pelos cuidados do seu pobre marido lenhador.

Vai a correr, levantando os raposinhos da neve. Corre, corre, e, quando finalmente chega esbaforida à clareira que ladeia a via férrea, ouve o comboio a arquejar, exatamente como ela, a perder o fôlego, a gemer e a abrandar como ela, ambos estorvados pela neve espessa e abundante que os impede de avançar.

Faz gestos com os braços e grita: «Espera por mim! Espera por mim!»

O comboio arqueja e avança.

Mas desta vez, ao passar, reponde-lhe. O comboio de mercadorias – o comboio 49 – responde-lhe!

E não com um qualquer sinal, mas com um gesto concreto. Não um daqueles gestos que servem para atirar os miseráveis bocados de papel amarfanhados e escrevinhados à pressa por uma mão desajeitada, não, um gesto, um gesto de verdade. Primeiro, apareceu um pano através da estreita lucarna, brandido por uma mão, uma mão humana ou divina, que o larga de repente, e o pano vem depositar um fardo na neve, a uns vinte passos da nossa pobre lenhadora, que cai de joelhos, de mãos apertadas no peito, sem saber o que fazer para agradecer aos céus.

Finalmente, depois de tantas orações em vão! Mas a mão na lucarna estende-se agora na sua direção e com um dedo, um dedo perentório, imperioso, faz-lhe sinal para apanhar o embrulho. O embrulho é para ela. Só para ela. Está-lhe destinado.

A pobre lenhadora desembaraça-se então do magro feixe de lenha e, tão depressa quanto a neve lho permite, precipita-se para o pequeno embrulho, para o tirar da neve. Depois, avidamente, quase febril, desfaz os nós, como quem tira de uma embalagem um presente misterioso.

E então surge, oh maravilha, o objeto, o objeto que ela há tanto tempo pedia nas suas orações, o objeto dos seus sonhos. Mas eis que, mal o embrulho foi aberto, o conteúdo, em vez de lhe sorrir e de lhe estender os braços, como fazem os bebés nas imagens piedosas, agita-se, berra, com os punhos cerrados e elevados bem alto, no seu desejo de viver, torturado pela fome. O embrulho protesta e continua a protestar.

A nossa pobre lenhadora aperta o pequeno ser contra ela, enfiando-o no meio dos seus trapos sobrepostos, e desata a correr, a correr cada vez mais, apertando sempre o seu tesouro de encontro ao peito. De súbito imobiliza-se, sente uma boca ávida a sugar-lhe o magro seio e depois a parar e berrar de novo, agitando-se ainda mais, debatendo-se, gritando, berrando. Tem fome, aquela criança tem fome, o meu bebé tem fome. Ela vê-se transformada em mãe e sente-se simultaneamente feliz e mortalmente preocupada. Cheia, mas a transbordar. Ei-la agora mãe, e mãe sem leite. O meu filho tem fome, que fazer, como posso ajudá-lo? Porque é que o deus do comboio não lhe concedeu leite para alimentar a criança que lhe ofertou? Porquê? Em que pensarão então os deuses? Com que querem que eu o alimente?

Já em casa, o pequeno embrulho pousado na cama contorce-se cada vez mais, motivado pela energia do desespero e por uma fome de lobo apanhado numa armadilha. A pobre lenhadora acende então o lume, deita água na panela e procura, procura, procura.

Enquanto a água ferve, encontra um resto de *kacha*[3] que vai pôr a macerar na água fervida, mas antes, para acalmar o embrulhinho, estende um dedo na direção daquela boca ávida. O pequeno embrulho agarra-o e mama, mama, com uma raiva obstinada. Depois, subitamente, apercebendo-se do embuste, para de mamar e recomeça a chorar. A pobre lenhadora, chorando também, abraça-o, enquanto esmaga a *kacha* para fazer uma papa que tenta, com a ajuda de uma colher, introduzir na boca vociferante. Sem conseguir, mete o mesmo dedo na *kacha* esmagada e oferece-o de novo à boca da criança, que o suga com paixão, até o largar, cuspindo a amarga *kacha*.

---

[3] Prato de cereais à base de sêmola de trigo sarraceno descascado, arroz ou trigo, cozidos com água, leite ou gordura. [*N. da R.*]

A pobre lenhadora aproveita para o fazer engolir um pouco da água de cozer, depois volta a estender o dedo e o bebé suga de novo. Pouco a pouco, com a água que sacia, com a *kacha* que lhe engana a fome, a criança acalma-se nos braços da nova mãe, enquanto a pobre lenhadora lhe sussurra ao ouvido uma espécie de canção, uma cantiga de embalar vinda da noite dos tempos que a surpreende a ela própria:

– Dorme, minha pequena mercadoria, dorme, dorme, embrulhinho só meu, dorme, dorme, meu pequenino, dorme, dorme.

Depois, pousa delicadamente o seu precioso tesouro no meio da cama. E é então que os olhos da pobre lenhadora batem no xaile desdobrado que tinha posto a secar em cima da cama. Um xaile sumptuoso, tecido com finos fios, muito apertados, ornado de franjas nas duas extremidades e bordado com fios de ouro e de prata. Nunca tinha visto nem tocado num xaile tão precioso. Os deuses, pensa ela, fizeram mesmo bem as coisas, embrulhando este presente num tecido assim magnífico. Em breve também ela adormece, com o seu embrulhinho, a sua pequena mercadoria querida apertada nos braços, envolta no deslumbrante xaile.

A nossa pobre lenhadora dorme, com o bebé bem preso nos braços. Está a dormir o sono dos justos, a descansar lá em cima, muito mais acima do paraíso dos pobres lenhadores e das pobres lenhadoras, ainda mais acima do Éden dos afortunados deste mundo, a dormir mesmo lá em cima, no jardim reservado aos deuses e às mães.

4

Ao cair da noite, enquanto a pobre lenhadora e a sua dádiva dos céus dormem, o pobre lenhador, extenuado pelo seu trabalho de interesse geral, regressa a casa. Com o barulho que ele faz, a pequena mercadoria acorda e, voltando a sentir a fome por saciar, chora logo.

– Que é isto? – troa o pobre lenhador.

– Um bebé – responde a pobre lenhadora, levantando-se com o embrulhinho nos braços.

– E que bebé é esse?

– A alegria da minha vida – continua a pobre lenhadora, sem pestanejar nem tremer.

– A quê?

– Os deuses do comboio ofereceram-mo.

– Os deuses do comboio?

– Para ele ser o filho muito amado que nunca tive.

O pobre lenhador pega então na pequena mercadoria, arrancando-a dos braços da pobre lenhadora, o que paradoxalmente faz parar os gritos do bebé, que agarra com as mãozinhas ávidas a barba do lenhador, tentando logo mamar nela.

– Mas sabes o que esta criança é, não sabes? – E larga subitamente o bebé em cima da cama com um gesto de aversão, como se deitasse ao lixo um pedaço de carne estragada. – Não presta! Não sabes a que raça pertence?

– Sei que é o meu anjinho! – declara com determinação a pobre lenhadora, voltando a pegar no bebé. – E, se quiseres, também pode ser teu.

– Não pode ser nem meu nem o teu anjinho! É um filho da raça maldita! Os pais atiraram-no para fora do comboio porque não têm coração!

– Não, não, não! Foram os deuses do comboio que mo ofereceram!

– Não sabes o que dizes, velha, quando crescer vai ser como eles, um sem-coração!

– Se o criarmos nós, não será.

– E como é que o vais alimentar?

– É tão pequenino, há bocado dei-lhe um dedo para chupar e isso bastou para lhe acalmar a fome.

– Não sabes que, se escondermos um sem-coração, correremos perigo de morte? Foram eles que mataram Deus.

– Ele não foi! É tão pequenino.

– Mataram Deus e são ladrões.

– Graças a Deus, nunca tivemos aqui nada interessante para roubar. E dentro de pouco tempo, se concordares, vai até ajudar-me a apanhar lenha.

– Se o encontrarem em nossa casa, encostam-nos ao muro.

– E quem havia de ficar a saber?

– Os outros lenhadores vão denunciar-
-nos aos caçadores dos sem-coração.

– Não, não, eu digo que é meu filho, que
finalmente fiquei grávida de ti.

– E que deste à luz já tarde, e logo um
catraio de quinze libras de peso[4]?

– Ao início não o deixo sair.

– Ele não pode ser nosso, está marcado.

– Marcado como?

– Não sabes que os sem-coração têm
uma marca e que é assim que os reconhece-
mos?

– Assim como?

– Não são da mesma natureza que nós.

– Eu não vi marca nenhuma.

A pobre lenhadora apressa-se a desfazer
o embrulhinho, cuja natureza aparece ime-
diatamente exposta e nua.

– Ora vê, ora vê!

– O quê?

[4] Cerca de 6,8 kg. [*N. da R.*]

– A marca.

– Que marca? – pergunta a pobre lenhadora, olhando à volta. – Não vejo marca
nenhuma.

– Ora vê, ele não é igual a mim.

– Pois não, mas é igual a mim. Olha como
é linda.

O pobre lenhador desvia os olhos precipitadamente e, depois de ter coçado a
cabeça debaixo do barrete, volta a fechar o
embrulho, que afasta com os punhozinhos
fechados as mãos que o agridem.

– Que vais fazer? – inquieta-se a pobre
lenhadora, ao ver o pobre lenhador pegar no
embrulho e dirigir-se à porta. – Aonde vais?

– Vou voltar a pô-lo junto da linha do
comboio.

A pobre lenhadora atira-se então a ele
com fúria e tenta arrancar-lhe o pequeno
embrulho. Não conseguindo, barra-lhe a
passagem e diz:

– Faz isso, lenhador, e vais ter de me atirar com ela para debaixo das rodas do

comboio de mercadorias; e os deuses, todos os deuses, os do céu, os da natureza, os do sol e os do comboio, hão de perseguir-te por onde quer que andes! Faças o que fizeres! Hás de ser maldito para todo o sempre!

O pobre lenhador, imóvel, hesita por um instante. Devolve à pobre lenhadora o «embrulhinho», que agora é «a pequena mercadoria», visto que a sua natureza nos foi desvendada e que essa natureza é incontestavelmente feminina.

A pequena mercadoria, passando assim de colo em colo, no meio dos gritos e da ira, começa também a guinchar subitamente, como um milhar de trombetas.

O pobre lenhador, que parece não ser grande melómano, tapa logo os ouvidos, berrando:

– Está bem! Está bem! Faça-se como tu queres, e que toda a desgraça que aconteça seja a tua desgraça!

Então, a pobre lenhadora, apertando a sua pequena mercadoria contra o coração, diz:

– Ela há de fazer a minha felicidade e a tua.

– Muito obrigado, mas fica lá com a tua felicidade e que lhe faças bom proveito! Da minha parte só preciso que saibas desde já que não quero ouvi-la mais, nem sequer vê-la! Vai pô-la no telheiro da lenha e faz com que se cale, estás avisada!

A pobre lenhadora, a embalar a pequena mercadoria, vai para o telheiro da lenha vazio e instala-se lá com aquela bebé que os deuses lhe deram para amar. O pobre lenhador vai atrás dela e atira-lhe uma pele de urso já traçada e roída pelos arganazes.

– Toma, não vás apanhar uma constipação!

– A mim os deuses protegem-me – responde a pobre lenhadora.

A criança continua a chorar meio adormecida.

O pobre lenhador, ao sair, ordena:

– Faz com que se cale! Ou então...

A pobre lenhadora embala-a, abraçando-a com muita força e cobrindo-lhe a testa de meigos beijos. Adormecem assim as duas. Instala-se o silêncio, perturbado apenas pelos roncos trágicos provenientes do nariz do pobre lenhador e pelos suspiros de bem-estar que se elevam em uníssono da pequena mercadoria, dom de Deus, e da sua nova e carinhosa mãe, ambas aninhadas debaixo da pele roída pelos arganazes.

5

O comboio de mercadorias, designado como comboio 49 pela burocracia da morte, que partiu de Bobigny-Gare, perto de Drancy-Seine, no dia 2 de março de 1943, chegou na manhã de 5 de março ao coração do inferno, seu destino.

Depois de ter descarregado a sua carga composta de ex-alfaiates para homens, senhoras e crianças, mortos e vivos, acompanhados das famílias, próximas ou distantes, bem como dos seus clientes e fornecedores, e, não esqueçamos, para os crentes, dos ministros do culto e, para os entrevados, velhos, doentes, impotentes, do médico pessoal, o comboio, na verdade o ex-comboio 49, certamente cheio de pressa de passar a ser o comboio 50 ou 51, voltou logo a partir, em sentido contrário.

A pobre lenhadora não o viu passar vazio, tão absorvida estava pela sua nova função de mãe de família.

Também não viu passar o comboio 50, nem os seguintes.

Depois da receção da mercadoria, procedeu-se de imediato à triagem. Os peritos dessa função, todos médicos diplomados, depois de a examinarem minuciosamente, só conservaram dez por cento da entrega. Uma centena de cabeças em mil. O resto, o refugo, velhos, homens, mulheres, crianças, doentes, evaporou-se ao fim da tarde na profundeza infinita do céu pouco hospitaleiro da Polónia.

Foi assim que Dinah, dita Diane nos documentos provisórios e na sua recente caderneta familiar, e o filho Henri, irmão gémeo de Rose, se libertaram de todo o peso, alcançando o limbo do paraíso prometido aos inocentes.

6

Em muitas histórias, e estamos numa história, há um bosque. E nesse bosque há um espaço mais denso do que o resto, aonde se acede com dificuldade, um espaço selvagem e secreto, protegido dos intrusos pela própria vegetação. Um lugar remoto, onde nem homens, nem deuses, nem animais, entram sem tremer. No grande bosque onde o pobre lenhador e a pobre lenhadora tentam subsistir, existe um lugar desses, no qual as árvores crescem mais cerradas e mais espessas. Um lugar que o machado dos lenhadores respeita e onde não se vê nenhum trilho. Uma zona densa de floresta na qual só se penetra em silêncio. As crianças, claro, não podem lá ir. E até os pais receiam pôr lá o pé e perderem-se.

A pobre lenhadora conhece aquele bosque como se fosse o próprio bolso – os xailes nos quais se envolve, seja inverno ou verão, não têm bolsos, e se os tivessem ela não teria nada para lá meter –, mas, apesar disso, digamos que conhece aquele lugar que é reservado, pensa ela, às fadas e aos duendes, bem como às feiticeiras e aos lobisomens. Também sabe que vive lá um ser humano sozinho, um ser que mete medo e assusta todos e todas, e que até os miseráveis soldados cor de verdete receiam encontrar. Um ser que alguns dizem ser maléfico, enquanto outros lhe chamam amigo dos animais e inimigo dos homens. Ela própria já o viu de relance algumas vezes, quando apanhava lenha na orla daquela floresta onde ele parece reinar como senhor absoluto e solitário.

Infelizmente, também sabe, compreendeu-o nessa manhã, que a sua pequena mercadoria não conseguirá sobreviver e crescer sem leite.

Depois de o pobre lenhador sair, ela enrolou-se nos trapos que tinha para vestir e enfiou neles também a pequena mercadoria, envolta por sua vez no xaile fornecido pelos próprios deuses, aquele xaile com franjas, bordado a ouro e prata, que parece ter sido tecido por mãos de fada.

De seguida, dirigiu-se àquela parte do bosque aonde ninguém se arrisca a ir sem tremer ou encomendar a alma a Deus. Na orla, dá com a escuridão que reina permanentemente nessa parte do bosque. Põe-se à espreita. O homem estará ali? Será que a vê? E a cabra? A cabra ainda fará parte deste mundo? Ainda dará leite?

Antes de partir, tentou alimentar outra vez a sua pequena e querida mercadoria com um resto de caldo de *kacha*. Em vão. A *kacha* voltou a ser cuspida. E agora a cabecinha fria da pequena mercadoria baloiça sem força. Precisa de leite, pensa ela, leite,

leite, ou então... Não, não, impossível, os deuses não lha ofereceram para depois a deixarem morrer nos seus braços!

A pobre lenhadora penetra na obscuridade, passando sob os ramos baixos, invocando os deuses do comboio, e da natureza, e das florestas, e das cabras. Até implora a ajuda das fadas, nunca se sabe, e mesmo a dos espíritos travessos, que não seriam capazes de se encarniçar contra uma criança inocente sem ficarem mal vistos. «Ajudem-me, ajudem-me», murmura ela pelo meio do emaranhado de ramos que estalam debaixo dos seus pés. Nunca vem ninguém aqui apanhar lenha. Até a neve raramente pousa no chão. Desfaz-se no cimo das árvores e acumula-se nos ramos mais baixos.

– Quem vem lá?

A pobre lenhadora imobiliza-se.

– Uma pobre lenhadora – responde, com as palavras a tremerem.

A voz continua:

– Que a pobre lenhadora não dê nem mais um passo! – Ela estaca. A voz continua. – E que quer daqui essa pobre lenhadora?

– Leite para um bebé!

– Leite para um bebé?

Ouve-se então uma espécie de riso sinistro.

Mas depois de algum barulho de botas sobre madeira apodrecida, aparece um homem com um gorro de pele na cabeça e uma espingarda na mão.

– Porque é que não lhe dás do teu?

– Pobre de mim, não tenho nenhum. E, se esta criança que aqui vês – tira a menina de debaixo do xaile – não tiver leite hoje, vai morrer.

– A tua filha vai morrer? Grande coisa! Fazes outra.

– Já não tenho idade. Esta menina foi-me confiada pelos deuses do comboio de mercadorias, aquele que está sempre a passar pelo caminho de ferro.

– Ora, que te dessem também leite!

O homem deixa escapar outra vez uma espécie de riso amargo, capaz de fazer gelar os ossos.

A lenhadora responde, receosa, mas decidida:

– Esqueceram-se. Os deuses não podem pensar em tudo, têm tanto que fazer.

– E fazem tudo tão mal! – conclui o homem. – Depois de um momento de silêncio, pergunta-lhe ainda: – Diz-me lá, pobre lenhadora, de onde queres que tire leite?

– Das tetas da tua cabra.

– Da minha cabra? Como é que sabes que tenho uma cabra?

– Ouvi-a balir quando andava a apanhar lenha à entrada do teu domínio.

Ele ri-se outra vez, mas depois, sério, pergunta:

– E que me darás tu em troca do leite?

– Tudo o que tenho!

– E que é que tens?

– Nada.

– É pouco.

– Todos os dias que os deuses fizerem, hei de vir, no inverno ou no verão, trazer-te um molho de lenha em troca de dois goles de leite.

– Queres pagar-me o meu leite com a minha lenha?

– A lenha não é tua.

– Nem tua.

– Nem o leite é teu!

– Como assim?

– É o leite da cabra.

– Mas a cabra é minha. Neste mundo, não se dá nada sem uma contrapartida.

– Sem leite, a minha filha vai morrer, não há nisso nenhuma contrapartida.

– Morre tanta gente!

– Foram os deuses que ma confiaram. Se me ajudares a alimentá-la, ela há de viver e os deuses ficar-te-ão agradecidos e pro-teger-te-ão.

– Já me protegeram quanto baste, como podes ver. – Tira o gorro e deixa à mostra a cabeça rachada; tem a têmpora esmagada e sem orelha. – Agora dispenso a proteção deles e protejo-me sozinho.

– Mas eles conservaram-te vivo, e à tua cabra também.

– Obrigadinha.

– Trago-te dois molhos de lenha todos os dias, em troca de um só gole de leite.

– Estou a ver que percebes de negócios! – Continua a rir. – Os deuses não te deram com a menina algum objeto valioso?

A nossa pobre lenhadora, desolada, está quase a dizer «infelizmente não» quando de súbito o rosto se lhe ilumina. Liberta a pequena mercadoria do xaile de oração e estende-o ao homem da cabra, que pega nele com desdém.

– É um xaile divino, vê como é precioso. – O homem passa-o à volta do pescoço. – Vê como é bonito! Devem ter sido dedos de fada a tecê-lo e a bordá-lo com ouro e prata.

A pequena mercadoria chora docemente. Já não solta gritos, não tem força para o fazer.

O homem da cabra e da cabeça rachada observa a menina e conclui:

– Esta criatura divina tem fome, como qualquer filho de humanos. Vou dar-te uma medida de leite da minha cabra. Do que precisavas era de leite de burra, mas desse não tenho, por isso o leite de cabra que te vou dar durante três meses, todas as manhãs, vai ter de ser misturado com água fervida, na proporção de duas medidas de água para uma medida de leite; e tu vais completar a alimentação da menina com água fervida e, na primavera, com frutos e legumes frescos.

Entrega-lhe a criança. Ela pega nela com amor e ajoelha-se diante do homem, tentando beijar-lhe a mão. Ele recua.

– Levanta-te!

A pobre lenhadora deixa correr as lágrimas.

– És bom, és um homem bom – murmura.

– Não, não, não, não, fizemos um negócio. A partir de amanhã conto com a tua lenha.

– Quem te partiu a cabeça, bom homem?

– A guerra.

– Esta guerra?

– Outra, tanto faz. Nunca mais te ajoelhes diante de mim, nem diante de ninguém, nunca mais digas que sou bom e não andes a espalhar o rumor de que tenho uma cabra e de que ofereço leite. Anda, vou dar-te aquilo a que tens direito.

E assim se fez.

Todas as manhãs, a pobre lenhadora entregava o molho de lenha e recolhia em troca uma medida de leite ainda quente.

E foi assim que a aquela pobre e pequena mercadoria, miserável e tão preciosa, resistiu e sobreviveu graças àquele homem da floresta e à sua cabra. Contudo, nunca ficava saciada e a fome torturava-a constantemente. Sugava tudo o que lhe aparecia junto da boca e, quando ficou outra vez mais forte, berrava desalmadamente.

7

Sem tesouras, armado com uma simples máquina de tosquiar, o pai dos gémeos, o marido de Dinah, o nosso herói, depois de ter vomitado o coração e engolido as lágrimas, pôs-se a rapar e rapar milhares de crânios, entregues pelos comboios de mercadorias que vinham de todos os países ocupados pelos carrascos devoradores de gente estrelada.

Esses crânios, essa máquina, e também o pensamento secreto de que se calhar, se calhar... fizeram dele, apesar de tudo, momentaneamente, um sobrevivente.

8

Quando o pobre lenhador chegava a casa, noite cerrada, a arrastar os membros doridos e o corpo quebrado pelo dia de trabalho de interesse geral, não queria ver, e ainda menos ouvir, a chorosa gémea solitária. A pobre lenhadora tentava, portanto, adormecê-la antes de ele chegar. Mas por vezes a pequena ainda estava a resmungar, ou agitava-se no sono. E às vezes, atormentada pela fome, até acordava a chorar, ou a berrar subitamente de terror, como se todos os lobos da terra se tivessem reunido para a perseguirem no mais fundo do seu sono.

O pobre lenhador batia então com o seu grande punho na mesa, resmungando com uma voz que o álcool destilado da madeira que consumia com os colegas de trabalho tornava rancorosa:

– Não quero ver nem ouvir essa serva do diabo! Essa sem-coração desgraçada! Faz com que se cale ou juro por Deus que ta tiro e a deito aos porcos!

Felizmente, pensava a pobre lenhadora, já não há porcos nas redondezas, porque os perseguidores dos sem-coração e das come-zainas já os tinham requisitado e comido todos. Felizmente também, o pobre lenha-dor, esgotado como estava, não demoraria muito a cabecear antes de deixar cair a cabeça na mesa e de adormecer assim o sono dos injustos.

9

Certa noite, porém, a pequena mercadoria agitou-se mais do que de costume, acordando o pobre lenhador ainda no primeiro sono. Então este, muito zangado, quis levantar a mão sobre ela. A pobre lenhadora agarrou a grande e calejada mão do pobre lenhador seu marido ainda em movimento e reteve-a por um instante, em suspenso, antes de a pousar delicadamente, bem aberta, no peito sacudido pelos soluços da sua adorada e pequena mercadoria. O pobre lenhador, tocando contra vontade ao de leve com a palma da mão aquela pele tão doce e tão branca, tentou soltar-se da pobre lenhadora, mas esta, com ambas as mãos, segurava

firmemente na dele, pousada na caixa torá-
cica da menina, enquanto sussurrava ao
ouvido do marido, que continuava a berrar
que não queria ali aquela criatura do diabo,
aquela sem-coração desgraçada, e ela sempre a segurar a mão do pobre lenhador e a
murmurar delicadamente:

– Estás a sentir? Estás a sentir? Sentes o
coraçãozinho a bater? Sentes? Sentes? Está
a bater, a bater...

– Não, não! – clamava o gorro do lenha-
dor, agitando-se de um lado para o outro.
– Não, não! – berrava a sua barba hirsuta. –
Não, não!

A lenhadora, sempre a sussurrar, continuava:

– Os sem-coração têm coração. Os sem-
-coração têm um coração como tu e eu.

– Não e não!

– Pequenos ou grandes, os sem-coração
têm um coração a bater-lhes no peito.

O pobre lenhador soltou subitamente a
mão, com um movimento do ombro,

sempre a sacudir a cabeça e a vociferar entredentes, repetindo os tristes *slogans* daqueles dias tão sombrios:

– Eles não têm coração! Os sem-coração não têm coração! São cães vadios que temos de expulsar à machadada! Os sem-coração atiram os filhos pelas lucarnas dos comboios e nós, pobres idiotas, é que temos de os alimentar!

Expelia assim a mais negra bílis, enquanto sentia uma perturbação, um calor, uma doçura nova, que o breve contacto da sua mão com a pele e com o coração da pequena mercadoria tinha feito nascer no seu coração de pobre lenhador, esse frágil coração que agora sentia bater no próprio peito. Sim, o coração dele batia como se fosse o eco do coração da pequena mercadoria, que finalmente se acalmou nos braços da lenhadora e agora estendia os bracinhos para o pobre lenhador.

Este recuou, aterrorizado. Quando a pobre lenhadora, por sua vez, estendeu a criança na sua direção, ele recuou ainda mais, como que atingido no peito, repetindo maquinalmente que não queria ver, nem alimentar aquela coisa, e reprimindo, no mais fundo da escuridão do seu corpo, a vontade de responder àqueles bracinhos estendidos para si, e de pegar na criança para a apertar contra o seu rosto, contra a sua barba.

Recuperou finalmente as forças, no corpo e no espírito, e retomou também a ofensiva, ameaçando a pobre lenhadora ao determinar que, no dia seguinte, ela teria de escolher entre ele, o honesto lenhador seu marido, e aquele resíduo de aborto assassino de Deus que agora segurava nos braços. E, antes que a pobre lenhadora pudesse responder-lhe, deixou-se cair na cama e adormeceu, desta vez dormindo o sono dos quase justos.

10

No dia seguinte, onde quer que pousasse a mão, era o coração da pequena mercadoria que ele sentia bater debaixo da palma. Daí em diante, no segredo do seu coração inundado por uma doçura desconhecida, também ele chamava à pequena sem--coração a sua mercadoria. E quando, por grande e raro acaso, se encontrava diante dela, estendia-lhe um dedo hesitante que a menina agarrava logo, sem o querer largar. Ele sentia então uma alegre e reconfortante doçura.

Um dia, a menina, arrastando-se a gatinhar pelo chão da cabana, agarrou-se à bainha das calças do lenhador e assim, com

a ajuda das duas mãos, endireitou-se segu-
rando-se a um dos joelhos remendados.
O pobre lenhador não conseguiu reprimir
um grito: «Ó velhota, anda cá! Anda ver!
Anda ver!» A menina agora já se segurava só
com uma mão, cambaleante, em busca de
equilíbrio. O pobre lenhador exultava:
«Estás a vê-la? Estás a vê-la?» A pobre lenhadora ficou maravilhada e depois bateu palmas. A menina, tentando bater palmas
também, largou as calças e caiu de rabo no
chão, a rir às gargalhadas. O pobre lenhador, inclinando-se completamente, tirou a
menina do chão e elevou-a como se fosse
um troféu, gritando de alegria e excla-
mando: «Aleluia!»

Nos dias seguintes, o pobre lenhador e a
pobre lenhadora já nem sentiam o peso dos
tempos, nem a fome, nem a miséria, nem a
tristeza da sua condição. O mundo pareceu-
-lhes leve e seguro, apesar da guerra, ou graças a ela, graças àquela guerra que lhes tinha
ofertado a mais preciosa das mercadorias.

Partilharam os três um grande feixe de lenha de felicidade, enfeitado com flores que a primavera lhes oferecia para iluminar o interior da casa.

11

Com a alegria e a felicidade a ajudarem, o pobre lenhador trabalhou com mais vigor, força e empenho; os companheiros começaram a apreciá-lo mais e, apesar do seu mutismo, começaram a convidá-lo com frequência para as suas libações depois do trabalho. Um deles, mais empreendedor, tinha-se transformado em produtor de álcool destilado da madeira e feito em casa. Era ele que lhes fornecia bebidas. Ignoro qual seja a receita desse álcool de madeira artesanal, mas, mesmo que a conhecesse, não a divulgaria. Saibam apenas que não é aconselhável consumir-se tal álcool de madeira, pois, em grande quantidade, pode cegar uma pessoa. «Que é que isso interessa, em tempo de guerra não se limpam armas, e também com o que há para ver...», decretara o destilador de álcool amador. Os companheiros eram corajosos e tinham sede. Gostavam de beber uns copitos depois do dia de trabalho, afinal não tinham em casa uma pequena mercadoria, dádiva do comboio e dos céus, capaz de os fazer amar a vida, ainda que fosse aquela vida que eles levavam.

Depois do trabalho – glup, glup, glup –, em algumas noites, o pobre lenhador concordava em ir beber uns copos com os colegas, atrasando assim o prazer de voltar para junto da sua pequena e adorada mercadoria. Partilhava, pois, o seu novo bom humor com os companheiros de infortúnio – glup, glup, glup – e fazia brinde atrás de brinde. A quê? A quem? Um deles propôs brindarem ao fim daquela maldita guerra – glup, glup, glup. Depois brindaram ao fim dos malditos sem-coração – glup, glup, glup.

A propósito dos sem-coração, um dos camaradas comentou então que o comboio que passava cheio e voltava a passar vazio transportava não se sabia para onde muitos sem-coração vindos das sete partidas do mundo. Um outro acrescentou: «Enquanto nós nos matamos a trabalhar por um salário miserável, os sem-coração andam a passear de graça em comboios especiais!»

Um terceiro declarou por fim: «Os sem--coração mataram Deus e quiseram esta guerra! Não merecem viver, e a sua maldita guerra só há de acabar quando a terra inteira se vir livre deles para sempre!» – glup, glup, glup. «À sua extinção!» – glup, glup, glup. «À morte dos sem-coração!» – concluíram em coro.

Não exatamente em coro...

O pobre lenhador, o nosso pobre lenha-dor – todos eles eram lenhadores e pobres –, o nosso, portanto, tinha bebido, mas ficara calado. Os companheiros voltaram-se então para ele como se fossem um só, à espera de o ouvir. Não tiveram de esperar muito – glup, glup, glup –, pois o pobre lenhador limpou a boca com as costas da mão e, no meio do silêncio, ouviu-se dizer, para sua própria surpresa:

– Os sem-coração têm um coração.

– O quê, o quê, o quê? Que é que ele está a dizer? O que quer ele dizer com isso?

O pobre lenhador, então, ficou ainda mais surpreendido ao ouvir-se declarar, desta vez com uma voz ensurdecedora – uma voz que nunca sentira sair da própria garganta –, o pobre lenhador, dizia eu, depois de ter atirado o copo de ferro para cima da mesa periclitante, que desabou, prosseguiu:

– Os sem-coração têm um coração!

Depois saiu em passo firme, embora ligeiramente aos ziguezagues, em direção à cabana, à sua casa, com o machado ao ombro, subitamente aterrorizado por ter revelado assim a verdade, aquela verdade: os sem-coração têm coração. Estava apavorado mas ao mesmo tempo aliviado e orgulhoso, orgulhoso por ter gritado diante dos outros, por se ter libertado, por ter de repente acabado com uma vida inteira de submissão e de mutismo. Caminhava ao encontro da sua amada lenhadora, guiando-se pela pupila dos seus olhos que nessa noite o álcool de madeira não conseguira destruir. Caminhava também ao encontro da pequena mercadoria que os deuses, ou não se sabe quem, lhe tinham oferecido. Continuava a avançar. Sentiu então o coração a bater, a bater, e deu por si a cantar, a cantar, enquanto andava, uma canção que nunca tinha cantado, nem essa nem qualquer outra, aliás. Caminhava e cantava, embriagado de liberdade e de amor.

Os companheiros, consternados, comentaram: «Ele já não aguenta o álcool! Está completamente bêbado! Perdeu o juízo!» – glup, glup, glup. «Amanhã pela fresca já estará melhor.» E puseram-se também a cantar canções que os seus patrões, os caçadores dos sem-coração, os invasores, lhes tinham ensinado, canções que diziam assim:

– «Vamos cravar os nossos punhais nos peitos vazios dos sem-coração, até já não restar nenhum e eles nos terem devolvido o que nos roubaram» – glup, glup, glup. – «Morte aos sem-coração!» – glup, glup, glup.

O fabricante de álcool de madeira, enquanto cantava, estava a pensar que antigamente, antes daquela guerra, as autoridades locais ofereciam uma recompensa por cada animal incómodo que caçassem e levassem à Câmara – glup, glup, glup.

12

Os dias e os meses passavam. O falso barbeiro, o pai dos ex-gémeos, rapava, rapava e rapava cabeças. Depois apanhava os cabelos, os loiros, os castanhos, os ruivos, e fazia trouxas com eles. Trouxas que se juntavam a outras trouxas, a outros milhares de trouxas, feitas com outros cabelos. Os loiros, mais procurados, os castanhos e até os ruivos. Que se fazia com os cabelos brancos? Todos aqueles cabelos estavam de partida para o país dos generosos conquistadores, para se transformarem em cabeleiras, adereços, tecidos de decoração ou meras esfregonas.

O pai dos ex-gémeos queria morrer, mas no fundo de si mesmo germinava uma sementinha insensata, selvagem, resistente a todos os horrores vistos e sentidos, uma sementinha que crescia, crescia, ordenando-lhe que vivesse, ou pelo menos que sobrevivesse. Sobreviver. Ele não queria saber dessa sementinha de esperança, indestrutível, para nada, desprezava-a, afogava-a em ondas de amargura, e, contudo, ela não parava de crescer, apesar do presente, apesar do passado, apesar da recordação do ato insensato que lhe valera que a sua querida e doce mulher nunca mais olhasse para ele, nunca mais lhe dirigisse a palavra até serem separados naquele cais de estação sem estação, ao saírem do comboio dos horrores. Ele nem sequer pôde apertar contra o peito, nem que fosse por um segundo, o gémeo que restava, antes de se separarem para sempre e nunca mais se verem. Ainda choraria por causa disso, se lhe restassem nos olhos algumas lágrimas.

13

Os dias, os meses, passaram e a pequena mercadoria, num daqueles dias mais felizes do que os outros, endireitou-se subitamente e deu os primeiros passos. Desde então, cirandava à frente ou atrás da pobre lenhadora e à noite corria diante do pobre lenhador. E quando este a erguia até à cara, até à barba, ela tentava tirar-lhe o boné, ou puxar-lhe os pelos, ou, felicidade suprema, agarrar com as duas mãos no seu grande nariz. O pobre lenhador ficava tão perturbado com isso. Entregava então a pequena mercadoria à pobre lenhadora e assoava-se muito alto, antes de limpar os olhos húmidos. Num desses dias, mas ainda mais

bonito, a menina correu para o pobre lenhador, de braços estendidos, a gritar «Papá!
Papá!», na língua estranha que se falava
naquele país distante. Papá dizia-se *papouch*
e mamã, *mamouch*.

– Papouch! Mamouch!

Uniam-se então os três num abraço que
acabava em risos e até numa canção que
falava de um pai, de uma mãe e de um filho
perdido e reencontrado.

14

Um dia, a pobre lenhadora e a pequena mercadoria vinham as duas de apanhar lenha quando se cruzaram no mato com o destilador de álcool de madeira e cumulativamente colega e até camarada do pobre lenhador. O destilador, ao ver a menina, tentou informar-se educadamente: «De onde saiu essa criança?» A pobre lenhadora respondeu que era dela. O destilador olhou então demoradamente para a pequena mercadoria, como se quisesse avaliar-lhe o peso. Depois olhou para a pobre lenhadora, antes de lhe sorrir e de se ir embora, não sem levar a mão ao chapéu de toupeira, dizendo numa voz jovial: «Bom-dia para ambas!»

15

Naquela manhã, pouco antes do nascer do Sol, o camarada do chapéu de toupeira, acompanhado de dois soldados armados de espingardas do tempo de uma guerra mundial anterior, ou mais provavelmente da época em que os chineses inventaram a pólvora, vieram portanto os três proceder ao levantamento da pequena mercadoria. O pobre lenhador veio recebê-los ao umbral da porta. Primeiro negou. Disse que era sua filha. Um dos soldados perguntou-lhe por que razão não tinha registado o seu nascimento na Câmara. Ele respondeu que não gostava de preencher papéis e que ela crescera assim, sem documentos. Finalmente, aceitou, para não o matarem – a lei é a lei, camarada –, aceitou, digo eu, mas pediu, por especial favor, que a criança fosse entregue ao seu colega de trabalho, para tudo correr calmamente e não assustar com as armas nem a menina, nem, sobretudo, a esposa. Mandou o colega entrar à sua frente, avisando a pobre lenhadora em voz alta:

– É o meu colega de trabalho! Prepara a miúda! E serve de beber a estes camaradas!

A lenhadora apareceu com a menina, que estendeu logo os braços para o lenhador. Ele pegou no machado e deu com ele no colega destilador, gritando para a lenhadora:

– Foge e leva a menina!

Voltou depois a bater na toupeira que enfeitava a cabeça do seu camarada de trabalho, para garantir que não escapava. Saiu então da cabana, de cabeça erguida, e atacou um dos soldados, abatendo-o como se fosse um tronco apodrecido. O outro, a tentar recuar, tropeçou e disparou para o ar, fazendo de seguida pontaria para o lenhador, que caminhava na sua direção. A pobre lenhadora saiu a correr, enquanto o lenhador gritava, tombando no chão:

– Corre, minha linda, corre! Salvem-se! Salvem-se! Que Deus se abata sobre os malditos sem alma nem fé! E que deixe viver a nossa... – e murmurou – ... pequena mercadoria!

16

Corre, corre, corre, pobre lenhadora!

Corre e aperta contra o coração a tua pequena e tão frágil mercadoria! Corre sem olhares para trás! Não, não, não tentes voltar a ver o teu pobre lenhador jazendo no próprio sangue, nem as três larvas rachadas pelo seu machado como madeira podre. Não, não, não procures com os olhos a tua ex-casa feita de toros pelas mãos do teu pobre lenhador. Esquece essa cabana onde partilharam os três uma tão fugidia felicidade. Corre, corre, corre e continua a correr!

Correr? Mas para onde? Por onde? Onde encontrar esconderijo?

Corre sem pensar! Vai, vai, vai! A direito, em frente. Não, não, não, não chores, não é altura de chorar.

No peito da pobre lenhadora, ali onde repousa, embalada pela corrida, a pequena mercadoria tão amada, ali, no seu peito sufocado, o coração bate, bate, bate, e subitamente contorce-se. A dor corta-lhe as pernas, arranca-lhe o fôlego. Ela sabe, ela sente, que os caçadores dos sem--coração já andam a persegui-la para lhe tirarem a sua pequena e tão querida mercadoria.

Quer parar, deixar-se cair no chão, derramar-se por ele, desaparecer no meio dos fetos, dissolver-se na erva alta apertando cada vez com mais força a menina tão amada. Mas os raposinhos vigiam aos seus pés. Correm, correm, correm, pois estão habituados a perseguirem e a serem perseguidos. Correm, libertam-se do chão, correm sem receio nenhum. Para onde? Para onde correm? Não tenham medo, eles sabem para onde ir, conhecem o caminho, o caminho da salvação.

E, de súbito, a pobre lenhadora e a sua tão preciosa pequena mercadoria encontram-se na orla daquela parte do bosque tão cerrada que ninguém sabe como aí entrar. Os raposinhos, esses, nem sequer abrandam o ritmo da corrida, avançam, correm de uma raiz para a outra, batendo contra os ramos mais baixos, tropeçando nos pedaços de madeira podre que jazem no chão.

Então uma voz, uma voz conhecida, simultaneamente temida e desejada, ressoa:

– Quem está aí?

– A pobre lenhadora – grita ela, enquanto os raposinhos continuam a correr.

– E o que quer daqui a pobre lenhadora?

– Asilo! Asilo para mim e para a minha... para aquela que os deuses me ofereceram.

A voz continua:

– Ouvi tiros. Eram por causa de ti?

– Eles queriam... Queriam... Queriam a minha...

– Avança! Anda sem receio!

– Eles queriam... – A pobre lenhadora está sem fôlego. A voz foge-lhe, as pernas fraquejam-lhe. Até os raposinhos se imobilizam, vencidos pelas raízes, pelas silvas e pelo cansaço.

A pobre lenhadora gostaria de contar tudo ao homem da espingarda, da cabra e da cabeça rachada, tudo: o medo, os sem-coração, também o machado. Continua a falar, mas com dificuldade:

– Eles queriam... Queriam... Então o meu pobre lenhador, com o machado...

O homem aparece.

– Não digas mais nada, conheço o negrume do coração dos homens. O teu lenhador e o seu machado trabalharam bem. E, se aqueles que te atormentam o justificarem, também eu agirei.

Pendura a espingarda ao ombro e estende os braços.

– Confia-me a tua pequena mercadoria e segue-me.

A pobre lenhadora entrega-lhe então a menina e o homem da espingarda, da cabra e da cabeça rachada recebe-a com doçura e dignidade, como se deve fazer ao transportar objetos sagrados.

Avançam os três em silêncio. O bosque cerrado clareia e em breve surge um jardim que a pobre lenhadora nunca vira. Recebia o leite quotidiano na orla do bosque, onde depositava o feixe de lenha.

Naquele fim de primavera e início de verão, os frutos das árvores parecem estender-se para receber a criança. As flores endireitam-se e também se oferecem para serem colhidas, como para consolarem a pobre lenhadora e a sua filha. Os deuses fizeram bem as coisas deste lado do bosque, pensa ela, sim, os deuses fazem bem as coisas quando pensam nelas e quando querem.

O homem, sempre com a criança ao colo, aproxima-se de uma cabana, um abrigo feito também de toros, construído ao lado de uma rocha. Não entra na cabana, vai direito à rocha e enfia-se dentro de uma espécie de gruta, onde uma cabra minúscula, porém com tetas pesadas, lhe faz uma grande festa, cheia de alegria por receber uma visita.

O homem da espingarda e da cabeça rachada põe a menina diante da cabra. São da mesma altura. O homem faz as apresentações: «Filha dos deuses, esta é a tua ama de leite, a tua terceira mãe.»

A menina, encantada, abraça a cabra e esta abandona-se nos seus braços, de olhos perdidos lá onde se perdem os olhos das cabras. Depois, as duas encaram-se e ficam assim, cabra e menina, olhos nos olhos, testa contra testa, enquanto a pobre lenhadora soluça e o homem da espingarda, da cabra e da cabeça rachada murmura:

– Porque choras, pobre lenhadora? Agora vais ter para ela leite com fartura, que nem sequer vais ter de vir buscar.

É certo que eu perco um molho de lenha, mas ganho uma companheira de brincadeiras para a minha solitária cabra, e assim ficamos os quatro a ganhar. Neste mundo aqui de baixo ninguém pode ganhar nada sem aceitar perder alguma coisinha, nem que seja a vida de alguém querido, ou a própria vida.

17

Os dias sucederam aos dias, os comboios aos comboios. Nos vagões selados agonizava a humanidade. E a humanidade fazia de conta que não sabia. Passavam e voltavam a passar comboios provenientes de todas as capitais do continente ocupado, mas a pobre lenhadora já não os via.

Passaram e voltaram a passar, noite e dia, dia e noite, perante a indiferença generalizada. Ninguém ouviu os gritos dos que iam nos vagões, os soluços das mães misturados com as tosses roucas dos velhos, com as orações dos crentes, com os gemidos e com os gritos de terror das crianças cujos pais já tinham sido entregues ao gás.

18

E depois, e depois, os comboios deixaram de circular. Sem circular, deixaram também de entregar o seu miserável carregamento de cabeças para rapar. Acabaram os comboios, acabaram as cabeças. Ao mesmo tempo, o nosso herói, ex-pai de gémeos, ex-marido da sua bem-amada mulher, subitamente também ex-barbeiro de crânios, foi-se abaixo, vencido pela fome, pela doença e pelo desespero. À volta dele, os raros sobreviventes ainda conscientes murmuravam: «É preciso aguentar, aguentar, aguentar e continuar a aguentar, porventura isto há de acabar, já se ouvem os canhões ao longe.» Um camarada até lhe sussurrou ao ouvido: «Os vermelhos estão a chegar, estas caras de caveira ainda se vão borrar de medo.»

Entretanto, as ditas caras de caveira mandavam-nos cavar fossos em plena neve, para lá queimarem o excesso de cadáveres amontoados junto dos crematórios, que também teriam de destruir urgentemente, para eliminarem juntamente com as últimas testemunhas os vestígios do seu imenso crime. Os cabelos, ontem tão valiosos, já não eram apanhados. Pior, os cabelos embalados, já prontos para serem utilizados, já não eram despachados. Amontoavam-se, abandonados, junto de uma montanha de óculos, apertados entre pilhas de roupa de homem, senhora e criança. Também isso teria de desaparecer.

Aguentar, aguentar, aguentar, isto vai ter de acabar. Também ele queria agora desaparecer, acabar com tudo, acabar com tudo, acabar com tudo. De dia e de noite, delirava. Delirava ao patinhar na neve, delirava enquanto cavava. Recordava, ou pior, revivia o momento fatal, o momento em que arrancara um dos gémeos dos braços da mulher, revivia incessantemente aquele instante em que o atirara do comboio para a neve. Aquela neve que ele pisava e pisava enquanto cavava a própria vala para aí ser, por sua vez, finalmente queimado. Porquê, porquê, porquê aquele gesto fatal, insensato? Porque é que não tinha acompanhado a mulher e os dois filhos até ao fim, por que motivo não tinham ficado juntos até ao término da viagem? Elevando-se então todos juntos, os quatro, juntos, elevando-se aos céus, em espirais de fumo, um fumo espesso e sombrio. Desmaiou de repente. Dois camaradas, arriscando as próprias vidas, arrastaram-no até um barracão próximo, para evitar que ele fosse lançado às chamas ainda vivo.

Quando voltou a si, sentiu-se bem naquele barracão, no meio dos corpos amontoados. Encontrara o lugar propício para esperar, por fim, a morte, a libertação.

19

A morte não veio e a libertação apresentou-se diante dele sob a forma de um jovem soldado com uma estrela vermelha cujos olhos quase fora das órbitas testemunhavam o horror que acabara de descobrir. Depois de se ter certificado de que o cadáver que o fitava ainda estava vivo, o jovem soldado da estrela vermelha meteu-lhe o gargalo do cantil na boca e alguns biscoitos na mão, e depois pegou nele em braços e foi colocá-lo diante do barracão, num bocado de terreno sem cadáveres, debaixo do sol de uma primavera renascente.

Exatamente ali, onde na véspera reinavam a neve, as botas e as chibatas das caras de caveira, a erva crescia agora gorda e espessa, salpicada de inúmeras florzinhas brancas. Foi então que ele ouviu um pássaro cantar a plenos pulmões o hino do regresso à vida. E foi nesse momento que as lágrimas lhe jorraram dos olhos que tinham ficado, pensava ele, tão secos como o seu coração. Essas lágrimas lembraram-lhe que estava outra vez vivo.

Como arranjou ele forças para se levantar, para andar, e andar, e andar mais? Seria o canto do rouxinol suficiente para fazer nascer nele a ideia de que a sua filha, aquela sua filha tão pequenina, adorada e em paradeiro desconhecido, talvez também tivesse sobrevivido? E, se ela sobrevivera, era agora obrigação dele, era um dever até, fazer tudo, mesmo tudo, para a reencontrar.

Pôs-se portanto a caminho, seguindo os vermelhos que avançavam à sua frente. Caiu de inanição perto de uma igreja. Um padre ergueu-o, alimentou-o, rezou por ele; e ele voltou a partir, a andar, sempre a andar.

Chegou finalmente a um campo dito de reagrupamento, cheio de refugiados e de outras pessoas deslocadas que fugiam dos vermelhos, mas que tinham sido apanhadas pelo seu fulgurante avanço. O ar de espetro e o número tatuado no seu antebraço serviram-lhe de passaporte. Foi alojado e alimentado, mas, mal se instalou, reviveu o momento fatal: o comboio, a neve, o bosque, o xaile, a velha e também a esperança. E sobretudo, sobretudo, o olhar da mulher a desviar-se eternamente dele para nunca mais voltar. Porquê, mas por que razão não deixara ele o destino destruí-los aos quatro juntos? Juntos!

A pobre lenhadora não se apercebeu de que os comboios de mercadorias já não atravessavam o bosque, cativada como estava pelo espetáculo da sua própria mercadoria, que crescia e se desenvolvia a olhos vistos. A menina estava sempre a rir, a cantar, a palrar e a dançar com a cabra, que se tornara mais do que sua irmã, sob o olhar benevolente do homem da espingarda e da cabeça rachada.

A pobre lenhadora não se lembrava de ter vivido tanta felicidade em toda a sua vida. O homem da espingarda, esse, vigiava com os ouvidos voltados para leste. Sabia que os vermelhos estavam a avançar. Alegrava-se com isso, ao mesmo tempo que os temia. Temia-os como temera os da farda cor de verdete com caras de caveira, bem como os seus lacaios e outros colaboradores. Uma vez por semana, ia a uma das aldeias próximas da sua floresta, para aí trocar os queijos de cabra por produtos de primeira necessidade. Na aldeia só se falava do fim iminente daquela guerra tenebrosa, ora com esperança, ora com pena. Em breve os aviões com estrelas vermelhas bombardeariam as posições dos cor de verdete, a seguir viriam os canhões. Os caçadores dos sem-coração agora escondiam-se, ou fugiam para oeste.

De espingarda na mão, o homem da cabeça rachada calcorreava o seu feudo, pelo flanco leste do seu domínio, decidido a fazer respeitar os seus direitos de propriedade perante os novos invasores. Dois soldados vermelhos penetraram com precaução no bosque. Ao verem o homem da espingarda, abateram-no com uma rajada de metralhadora. Depois, cautelosamente, um dos soldados aproximou-se, virou o corpo com um pé e, ao ver que o rosto do homem não era nada atraente, fez uma careta de nojo ao companheiro, concluindo em voz de desprezo: «É um velho, e muito feio.» Verificando que o homem no chão estava sozinho, foram-se embora, para se juntarem ao resto do comando de estrelas vermelhas que tinha preferido contornar o bosque em vez de o atravessar.

Na manhã seguinte, depois de uma noite de angústia, a pobre lenhadora encontrou o corpo do homem da cabeça rachada e coração compassivo. Chorou muito, o que fez chorar a sua pequena mercadoria. E até a cabra dos olhos meigos chorava. Renunciando a enterrá-lo, a pobre lenhadora cobriu o cadáver de ramos floridos e improvisou uma oração em forma de agradecimento e de desejo: que finalmente aquele homem tão bom encontrasse a paz e a felicidade que lhe tinham sido recusadas nesta terra, que as encontrasse lá onde os deuses o acolhessem. Dirigiu também o pensamento aos deuses do comboio, mas não formulou nenhuma prece, pois já não tinha confiança neles.

Sabia que a filha, a sua filha, tinha sobrevivido não graças a eles, mas sim por causa da mão que a atirara do comboio para a neve, e depois graças à bondade do homem da espingarda e à sua cabra. «Abençoai-os», concluiu ela.

Pegou em alguns trapos, envolveu os queijos acabados de fazer e os utensílios para os fabricar no xaile de oração e, com a menina pela mão e a cabra puxada por uma corda, carregada como um burro, pôs-se a caminho. Sem saber para onde ir, caminhou a direito, em direção a leste, onde o Sol, dizem, continua a nascer.

Na estrada, cruzou-se com centenas de tanques e camiões com estrelas vermelhas. Atravessou aldeias em ruínas e, parando finalmente na praça de uma delas, escolheu uma ruína que lhe pareceu confortável e instalou-se lá. Estendeu o xaile de oração num lanço de muro que ainda estava de pé, distribuiu por ele os poucos queijos que conseguira salvar e pôs-se à espera dos fregueses, com a menina confortavelmente sentada no colo e a cabra a pastar num talude.

20

No campo dito de reagrupamento, aco-
tovelavam-se e atropelavam-se as antigas
vítimas e os seus antigos carrascos. Uns a
tentarem «reconstruir-se», como ainda não
se dizia nessa época, os outros a tentarem
diluir-se na multidão dos refugiados. Não
ficar ali, ir embora, continuar a fugir, sim,
mas ir para onde? Ir para onde?, perguntava-
-se o nosso herói, ex-barbeiro de crânios,
ex-estudante de Medicina, ex-pai de família, ex-ser vivo transformado em sombra.
Voltar ao país de onde viera de comboio,
depois de ter sido perseguido pela polícia
desse país? Partir para onde? Norte, leste
ou oeste? E, ao chegar lá, voltar a estudar

Medicina? Abrir um salão de cabeleireiro, para impor ao mundo os cabelos curtos, muito curtos, a moda das cabeças rapadas? Não, não, de qualquer modo, não podia sair daquela região sem saber, sem saber se a sua filha, a sua filhinha tão frágil, tão pequenina... Qual era mesmo o nome dela? Que nome lhe tinha dado? Como se chamava ela? Já não sabia, já nem se lembrava do nome da própria filha.

Nesse mesmo dia, deixou o campo, levando no bolso o pecúlio que a direção fornecia àqueles que queriam partir para assim se porem dali para fora, libertando a enxerga que ocupavam. E ele caminha, caminha e continua a caminhar, à procura da linha férrea, do bosque, das curvas, da velha ajoelhada na neve. Por fim, encontra uma via de caminho de ferro abandonada, já invadida pela vegetação.

Segue por esses carris. Vai ter a um bosque e atravessa-o, depois outro, e atravessa-o também, e ainda mais um. Já não havia neve, nada se parecia com nada, a não ser as velhas com que se cruzava e que nunca respondiam ao seu cumprimento. Era como procurar uma agulha num palheiro. Abandonou a via férrea, ela própria já abandonada pelos comboios, e pôs-se a caminhar ao longo das cidades e das aldeias. Havia festa por todo o lado. A guerra acabara para todos, exceto para ele e para os seus.

As canções, as bandeiras, os discursos, e até os petardos, toda essa loucura, toda essa alegria, lhe lembravam que estava sozinho, que estaria para sempre sozinho, que só ele respeitaria o luto, só ele faria o luto da humanidade, o luto de todos os massacrados, o luto da sua mulher, dos seus filhos, dos seus pais, dos pais dela. Atravessava as cidades e as aldeias, como um espetro, testemunha das libações, do júbilo, das saudações, dos juramentos: nunca mais, nunca mais.

Não sabia ao certo o que procurava. Caminhava. A cabeça andava-lhe à roda e lembrou-se de que tinha fome. Tinha fome, apesar de tudo. Em cima de uma mesa, viu queijos, queijinhos muito pequenos, e de súbito apeteceu-lhe comer queijo. Aqueles queijos minúsculos estavam expostos por cima de uma toalha esquisita, que não se lhes adequava, uma toalha que parecia ter sido tecida com fios de ouro e prata. Pousou uma mão na toalha, segurando algumas moedas, e de repente, de repente, compreendeu. Ergueu então os olhos para a mulher, não muito velha, sentada atrás da mesinha coberta com aquela estranha toalha. A mulher tinha uma menina sentada ao colo. Sorriam-lhe as duas e pareciam incitá--lo a escolher um dos queijos. A velha falou--lhe numa língua que ele não percebia. Fez-lhe sinal para se servir, mas ele só tinha olhos para a menina. Esta também lhe fez sinal com os olhos e com as mãos para se servir e gabou a qualidade dos produtos; depois apontou para a cabra ali ao lado, indicando-lhe que era do leite dela que nasciam os queijos. Ele não percebeu tudo, mas percebeu o essencial. A sua filha, aquela era a sua filha, a filha lançada para fora do comboio, a filha condenada aos fornos, a sua filha, que ele tinha conseguido salvar.

Um grito, um grito terrível, um grito de alegria, de dor, de vitória, um grito ganhou forma no seu peito, mas não lhe saiu nada da boca. Pegou num queijo, sempre a olhar para a menina, a sua filha. Ela estava viva, estava mesmo viva, era feliz, sorria à sua frente. Também ele esboçou um sorriso e depois estendeu uma mão trémula para a cara da menina, para lhe acariciar aquela face tão desejada. A menina agarrou-lhe na mão e levou-a aos lábios, desatando a rir. Ele retirou a mão precipitadamente.

Quase a sentir-se indisposto, afastou-se, sempre a olhar para a velha, para a cabra e para a sua pequenina, que acabara de voltar a pôr no mundo. Fitava com a máxima intensidade a vendedora de queijos e a sua

própria filha no colo dela, abraçadas. Fitava-
-as ardentemente, como se quisesse gravar
nas pupilas, no coração, na alma, a imagem
da felicidade que as duas partilhavam.
De que serviria dar-se a conhecer? Porque
haveria de quebrar aquele equilíbrio? Que
tinha ele para dar à sua própria filha? Nada,
menos do que nada. Deu mais alguns passos, voltou a parar. Apesar de tudo, se calhar,
seria melhor... talvez devesse... Depois
dominou-se, à custa de um esforço sobre-
-humano, preso de um misto de alegria e
tristeza. E então afastou-se a passos largos.

Tinha vencido a morte, salvara a filha
com um gesto insensato, levara a melhor
sobre a monstruosa indústria da morte.
Teve a coragem de lançar um último olhar à
filha reencontrada e de novo perdida para
sempre. Ela estava já a chamar a atenção de
um novo cliente, mostrando-lhe com as
suas mãozinhas a proveniência do queijo e
apontando para a cabra querida e a mãe
adorada.

Pronto, agora é altura de esquecermos a nossa pequena mercadoria e de a deixarmos viver a sua vida. O quê? Querem saber o que foi feito do ex-pai dela? Diz-se – mas dizem-se tantas coisas – que voltou para o país onde a polícia o prendera, a ele, à mulher e aos dois filhinhos, juntamente com milhares de outras pessoas, homens, mulheres, crianças, diz-se, portanto, que voltou para lá e que aí acabou o curso de Medicina, que veio a ser pediatra e que dedicou a vida a tratar e amar os filhos dos outros.

A pequena mercadoria, essa, tornou-se pioneira de elite. Recebeu um lenço vermelho e uma estrela também vermelha para prender na blusa branca. Apareceu uma fotografia dela na capa de uma revista. Estava encantadora. O fotógrafo tinha-lhe pedido para sorrir.

Até se diz – mas já avisei, dizem-se tantas coisas – que o grande médico, de passagem por esse país – voltava lá todos os anos, no dia de aniversário da libertação do campo que lhe devorara a mulher e um dos filhos, bem como os seus pais e os da esposa –, diz-se, portanto, que ele viu essa fotografia e que julgou reconhecer nela a mulher e até alguns traços da própria mãe. Diz-se mesmo que escreveu para a revista estatal *Juventude e Alegria* para entrar em contacto com a jovem pioneira que fez capa, Maria Tchekolova, que ali era apresentada como a mais meritória pioneira, pois era filha de uma pobre mulher, uma pobre lenhadora analfabeta que se tornara vendedora de queijos.

Não, não se sabe nada, pelo menos eu nada ouvi dizer, sobre o resultado dessa tentativa do ex-pai de gémeos de final-mente contactar com a filha. Por isso, não se sabe, e nunca se saberá, se ele acabou ou não por reencontrar a filha.

Epílogo

Pronto, já sabem tudo. O quê? Mais uma pergunta? Querem saber se esta história é verdadeira? Uma história verdadeira? Claro que não, de maneira nenhuma. Nunca houve comboios de mercadorias a atravessarem continentes para entregarem sem demora as suas mercadorias, ainda por cima tão deterioráveis. Nem houve campos de reagrupamento, nem de internamento, nem de concentração, nem sequer de extermínio. Nem famílias pulverizadas em fumo no final da sua última viagem. Nem cabelos rapados e depois recolhidos, embalados e expedidos. Nem fogo, nem cinzas, nem lágrimas. Nada, nada de entre tudo isso, aconteceu; nada disso é verdade. Tal como não são verdadeiros a pobre lenhadora e o seu pobre lenhador, assim como os sem-coração e os caçadores dos sem-coração. Nada, nada disso é verdade. Nem a libertação das cidades e das aldeias, dos bosques e dos campos, que afinal não existiam. Nem os anos que se seguiram à libertação. Nem a dor dos pais e das mães à procura dos filhos desaparecidos. Nem sequer os xailes de oração com franjas, bordados a ouro e prata. Nem o homem da cabra e da cabeça rachada, nem sequer o homem com a cabeça coberta – graças a Deus, se existir! –, nem o homem com a cabeça coberta com uma toupeira estripada e revirada, como se fosse um chapéu. Não, nada disso é verdade. Nem o machado do pobre lenhador, o machado que rachou a toupeira ao meio antes de esmagar os dois miseráveis soldados caçadores dos sem-coração.

Nada, nada é verdade.

A única coisa verdadeira, verdadeiramente real, ou que merece sê-lo nesta história, pois é preciso haver alguma coisa de verdadeiro numa história – de outro modo, para quê tanto trabalho a contá-la? –, a única coisa verdadeira, verdadeiramente real, portanto, foi que uma menina, que não existia, foi atirada pela lucarna de um comboio de mercadorias, por amor e por desespero, foi atirada de um comboio, envolta num xaile de oração de franjas e bordado a ouro e prata, xaile de oração esse que não existia, foi atirada para a neve, aos pés de uma pobre lenhadora sem filhos para amar, e que essa pobre lenhadora, que não existia, a apanhou, alimentou, cuidou e amou mais do que a qualquer pessoa ou coisa. Mais do que à própria vida. Foi assim.

É esta a única coisa que merece existir, tanto nas histórias como na vida real. O amor, o amor dirigido às crianças, às nossas e às dos outros. O amor que faz com que, apesar de tudo o que existe, e de tudo o que não existe, a vida continue.

Apêndice para quem gosta
de histórias verdadeiras

O comboio número 45 partiu de Drancy no dia 11 de novembro de 1942, levando a bordo setecentos e setenta e oito homens, mulheres e crianças, dos quais um número elevado de velhos e inválidos, entre eles o cego Naphtali Grumberg, avô do autor.

Dois sobreviventes em 1945.

O comboio 49 partiu no dia 2 de março de 1943, transportando um milhar de judeus, entre os quais o pai do autor, Zacharie Grumberg, e Silvia Menkès, nascida a 4 de março de 1942 e gaseada a 4 de março de 1943, no dia do seu primeiro aniversário.

Seis sobreviventes, dois deles mulheres, em 1945.

O *Memorial da Deportação dos Judeus de França*, elaborado em 1978 por Serge Klarsfeld a partir das listas alfabéticas dos Judeus deportados de França, faz as vezes de jazigo de família para muitos de nós, filhos de deportados. Esta obra refere que Abraham e Chaja Wiesenfeld, bem como as suas gémeas Fernande e Jeannine, nascidas em Paris em 9 de novembro de 1943, deixaram Drancy no dia 7 de dezembro desse mesmo ano de 1943, ou seja, apenas vinte e oito dias depois de nascerem. Comboio número 64 (*ver* Klarsfeld, *op. cit.*).